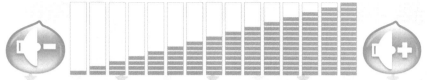

王文燕 编著
刘 祯 绘画

好孩子 好习惯

心灵卷

CMS
湖南少年儿童出版社
HUNAN JUVENILE & CHILDREN'S PUBLISHING HOUSE

目录contents

好孩子好习惯·心灵卷

致家长的一封信

英国著名作家萨克雷说过："播种行为，收获习惯；播种习惯，收获性格；播种性格，收获命运。"他的这一番话道出了，良好的行为习惯对人的一生所具有的重要性——习惯是决定人生成败的重要因素。

在幼儿期，孩子的自主性已经开始发展。在生活、学习和交往中，幼儿会不知不觉地反复进行行为练习，逐渐养成各种各样的行为习惯。家长应该注意对幼儿的行为进行调整和指导，以免让孩子养成更多的坏习惯。事实证明，坏习惯一旦形成，要纠正它将会比形成一个好习惯艰难得多。

还有什么能比书本更有效地教导孩子呢？本书通过简单有趣的故事、朗朗上口的儿歌、新颖有趣的游戏等多种形式，让孩子们在轻松的阅读、游戏中学习到良好的行为习惯，使他们在今后的生活中，能够自然而然地注重这些生活细节，为将来各方面的发展打下良好的基础。

让我们陪着孩子安静地读书、细细地品味，把他们每一天、每一点的变化都仔细地记录下来。慢慢地，您将会发现：通过这些有趣的故事和游戏，孩子逐渐变得坚强、勇敢、善良、懂礼貌、充满爱心，懂得分享和珍惜。这些良好的性情和习惯，将会是您送给孩子的最好礼物！

甜蜜的分享
🍎 吃饭篇 🍎

没有任何食物比甜甜圈更好吃了！

熊妈妈烤了一盘子甜甜圈，憨憨熊咽着口水数着："1，2，3，4……"一共有12个呢！

看起来好好吃！

乖乖兔和嘎嘎鸭一看盘子里的甜甜圈，就不乐意了。

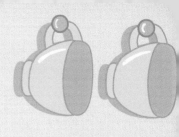

"呃，不知道……"

"憨憨熊，怎么你有那么多甜甜圈啊？"

憨憨熊把点心放回大盘子里，重新分起来。可结果还是一样！

熊妈妈笑着让憨憨熊和嘎嘎鸭
换个位置再分一次。

"乖乖兔一个，嘎嘎鸭一个，我一个。"

现在，每个人都分到了4个甜甜圈。

“收拾完了都来吃水果吧！”

阅读心情

1:14:3|REC:001

亲爱的宝宝，读完这个故事你的心情怎样？请给符合
你心情的星星涂上颜色吧！

 宝宝玩玩乐

你能将右图的苹果分给小猪，将香蕉分给小猴吗？

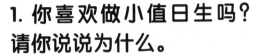

宝宝说说看

1. 你喜欢做小值日生吗？请你说说为什么。

2. 憨憨熊做得对吗？请你说说为什么。

醒目小贴士

1. 家长可以让孩子学习如何使用筷子，并时常与孩子玩用筷子夹珠子等游戏。

2. 家长可以让孩子尝试做小值日生，让他为参与了劳动而感到荣耀。

3. 孩子每次吃完饭后，家长可以让他把自己的碗筷分门别类地放好。

偷梦的坏蛋
作息篇

山羊老师让大家画一个美梦，但乖乖兔老是忘记自己的梦。

"一定是坏蛋把你的梦偷走了！"

晚上，乖乖兔抱着布娃娃在床上
翻来覆去地玩。

"要早睡早起！"

第二天早上，乖乖兔又赖床了。
快要迟到了，她才急匆匆地上学去。

美术课上，乖乖兔就要哭啦——
唉，梦又被坏蛋"偷"走了！
嘎嘎鸭送给了她一棵幸运草。

夜里，乖乖兔拿着幸运草，跟布娃娃玩了好久才睡觉。

"布娃娃，你困了没？我还不困哦！"

16

乖乖兔又迟到了，一着急
又把昨晚的梦忘记了。

"呜呜呜……"

17

这晚，兔妈妈把布娃娃和幸运草都拿走了，乖乖兔很快就睡着了。

"妈咪晚安！"

"布娃娃也要睡觉了。"

第二天，乖乖兔起得很早。
昨晚做的美梦她记得可清楚了。

亲爱的宝宝，读完这个故事你的心情怎样？请给符合你心情的星星涂上颜色吧！

 宝宝玩玩乐

小朋友，你记得自己做过的美梦吗？请把你做过的最美的一个梦画在右边的空白处吧！

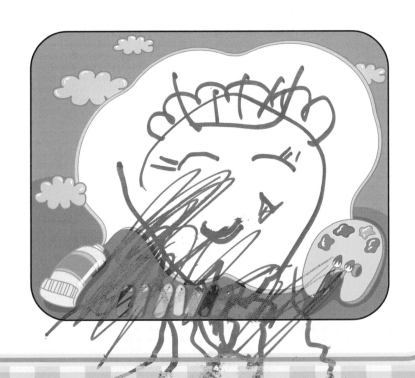

宝宝动动脑

小朋友，睡觉前应该怎么做？请你在下图中找出来吧！

 ## 醒目小贴士

1. 家长可以和孩子讨论一下，让孩子自己决定睡觉时间。

2. 每晚临睡前别让孩子玩耍，要让他平静下来。

3. 家长应该营造良好的起床气氛，例如播放一些轻松的音乐或孩子喜爱的故事。

池塘边的泡泡浴
卫生篇

池塘边的泥巴软软的，
大家都玩得笑嘻嘻。

全身脏兮兮的怎么办？洗澡啦！

"洗澡啰！"

水把泥巴衣裳脱掉了，大伙儿用香皂搓出了好多小泡泡。

大家排着队，在天然的"花洒"前冲了个痛快！

"超人熊变干净啦！"

大树下还有一只小泥猪在"嘎嘣嘎嘣"地吃苹果。

"快洗澡吧！"

"不要！"

伙伴们一哄而上，
给她洗起澡来。

"哎呀！"

洗完啦！大伙儿干干净净地躺在池塘边的草地上，好舒服呀！

阅读心情

亲爱的宝宝，读完这个故事你的心情怎样？请给符合你心情的星星涂上颜色吧！

宝宝玩玩乐

下面每组图里都有一张类别不同的图，请你把它找出来，并说说有什么不同的地方。

①  洗脸　 刷牙　 玩玩具

②  剪指甲　 舔手指　 洗手

宝宝动动脑

熊猫医生要给小朋友们打预防针啦，谁的表现最好呢？请给表现好的小朋友旁边的苹果涂上红色，并把这个大苹果奖励给他吧。

 ## 醒目小贴士

1. 家长应该鼓励孩子整理自己的物品，保持玩耍环境的清洁。

2. 家长可以引导孩子学习如何洗澡，并让孩子学会独自洗澡。

3. 在孩子洗澡前，家长可以让孩子自行准备好干净的换洗衣物。

好朋友们在小树林里玩躲猫猫！

32

嘎嘎鸭先当"鬼"，
伙伴们都藏了起来。

......98，99，100！

"藏好啦！"

嘎嘎鸭数完了一百下，开始抓人大行动！

轮到乖乖兔当"鬼"了，
憨憨熊悄悄爬到树上。

"躲好啦！"

35

乖乖兔一下子就抓到了几个好朋友。

可是大家都找不到憨憨熊，
憨憨熊很得意。

我赢了！

"憨憨熊，你在哪里？"

太阳公公疲倦地沉下山了，大家还是找不到憨憨熊。

突然，乖乖兔听见了远处的呼救声！

阅读心情

亲爱的宝宝，读完这个故事你的心情怎样？请给符合你心情的星星涂上颜色吧！

 宝宝玩玩乐

憨憨熊在树上下不来，是谁救了他？请你把他们找出来吧！

小朋友，为什么他们的比赛会有两个冠军？请你根据下图说说看。

 醒目小贴士

1. 家长应该注意培养孩子的团队精神，让孩子多和同伴玩耍，相互帮助。

2. 对于安静、内向的孩子，他偶然的一次积极发言，家长一定要给予肯定。

3. 家长要放手让孩子做事，即使孩子摔倒受伤，那也是一种宝贵的成长经验。

毛毛不见了

交往篇

森林小区里搬来了一条可爱的小毛毛虫。

"你是谁?"

"我叫毛毛。"

憨憨熊马上就喜欢上了这个圆嘟嘟的新朋友。

"你圆圆的。"

"你也圆圆的。"

憨憨熊每天都会跑到菜园里和毛毛一起玩游戏。

"幼儿园里有滑梯、有玩具!"

"哇!"

Book

毛毛一天天地长大了。有一天，他吐出白丝织了一只白茧，并躲了进去。

毛毛不见了!
憨憨熊到处寻找他。

"请问你看见毛毛了吗?"

"毛毛,你在哪儿?"

毛毛消失了，憨憨熊伤心极了！

几天后，一只美丽的小蝴蝶向憨憨熊飞来。

"憨憨熊——"

"咦，是谁呀？"

"嘻嘻！"

阅读心情

亲爱的宝宝，读完这个故事你的心情怎样？请给符合你心情的星星涂上颜色吧！

 宝宝玩玩乐

小朋友，你知道憨憨熊的好朋友毛毛变成了什么吗？请你连一连吧！

宝宝动动脑

　　小朋友，你知道憨憨熊和毛毛之间发生过什么有趣的事情吗？给爸爸妈妈说一说吧！

 ## 醒目小贴士

1. 家长带孩子外出玩耍时，应该让孩子主动结交新伙伴。

2. 当孩子们发生冲突时，家长先不要急着干涉，要鼓励他们自己解决。

3. 家长可以找机会提高孩子的移情能力，使孩子能站在对方的立场上考虑问题，
　 能够初步理解别人的想法与做法。

坏坏狼想霸占所有的苹果。

"我们进行吃苹果比赛吧！"

"谁赢了苹果归谁！"

53

"哎哟，疼死我了。"

"咔嗒！"坏坏狼吃得太急啦，不小心把一颗牙咬掉了。

可没过多久，憨憨熊的牙齿也掉了，
嘴巴里多了一个奇怪的洞洞。

熊妈妈领着憨憨熊去看牙医，坏坏狼也去了。

"牙齿会长出来的。"

"坏坏狼怎么了？"

57

渐渐地，学校里多了许多嘴巴里有洞洞的小朋友……

"哈哈，我知道你们在哪。"

"嘻嘻……"

猪妈妈种的苹果又甜又脆，
大家的牙齿都长出来了。

"新牙齿真漂亮！"

"嘣嚓！"

"我们请你吃苹果！"

"我一点儿也不喜欢吃苹果。"

59

阅读心情

亲爱的宝宝，读完这个故事你的心情怎样？请给符合你心情的星星涂上颜色吧！

宝宝玩玩乐

憨憨熊的班级正在表演大合唱呢！请你用红笔把在认真唱歌的小朋友圈出来，用黑笔把在捣乱的小朋友圈出来。

宝宝动动脑

　　憨憨熊团队要和小河马团队进行拔河比赛。如果你是憨憨熊团队的一员，你要怎样做才能使你的队伍获得胜利呢？请把你想要做的说出来。

森林拔河比赛

醒目小贴士

1. 家长要鼓励孩子勇敢地面对困难。

2. 适当地和孩子讨论一下，如何智斗并击退坏人。

3. 奖励诚实比惩罚撒谎更重要，家长要看重孩子的诚实行为，给他适当的表扬。

大家分头去准备游园会的工具。

第二天一早，"快乐餐厅"正式开工啦！

美味的点心出笼啦！
有小狗点心、小熊点心、狮子点心……

"哇！好棒！"

小朋友们都被点心的香气吸引了。

小猴子买了许多猴子点心，小狮子买了许多狮子点心……

"欢迎光临！"

"好漂亮！"

"真好吃！"

乐厅

67

点心全都卖光啦！"小厨师"们心里满足极了！

"有多少小旗子钱？"

"一，二，三，四……"

"别吵，正在数呢！"

接下来是打扫卫生。一转眼，"快乐餐厅"又变成整齐干净的教室啦！

阅读心情

1:14:3REC0D7

亲爱的宝宝，读完这个故事你的心情怎样？请给符合你心情的星星涂上颜色吧！

宝宝玩玩乐

小朋友，你知道做点心的正确步骤吗？请在下面的括号里填上正确的序号吧！

(   )   (   )   (   )

宝宝说说看

　　小朋友，你想在游园会上开设一个什么摊位呢？请你把想要开设的摊位画在下图空白处。

醒目小贴士

1. 家长和孩子分工合作，让孩子有合作劳动的满足感。

2. 在让孩子做陌生的工作前，家长要给孩子详细讲解，必要时还需动手示范。

3. 即使孩子做得不好，家长也要鼓励赞扬，让孩子把劳动当作一种光荣。

嘎嘎鸭的烦恼
学习篇

嘎嘎鸭总爱打断别人的话。直到有一天，他感冒了……

"从前，有个超人……"

"别老是说超人！"

"胡萝卜说……"

嘎嘎鸭嗓子哑了，说不出话来。
他觉得糟糕极了。

嘎嘎鸭走到池塘边，
在草丛中发现了一个透着蓝光的蛋。

嘎嘎鸭带着蛋去问母鸡婶婶。

"婶婶真唠叨！"

"这不是我的蛋，我的蛋不是蓝色的，去问一下天鹅吧……"

嘎嘎鸭抱着小蛋来到池塘边。
天鹅姐姐说话慢吞吞的。

"好慢……"

"我们天鹅的蛋……不是这种颜色的……
这种蓝色的……可能是孔雀姑姑的吧……"

但是孔雀姑姑说，
这个蛋也不是她的。

"你去找啄木鸟医生吧！"

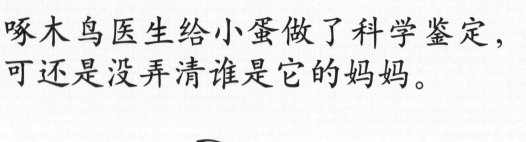

啄木鸟医生给小蛋做了科学鉴定，
可还是没弄清谁是它的妈妈。

嘎嘎鸭一回到森林里，
画眉妈妈就飞了过来。
原来，这是她的蛋呀！

阅读心情

亲爱的宝宝，读完这个故事你的心情怎样？请给符合你心情的星星涂上颜色吧！

宝宝玩玩乐

小朋友，请你先专心听爸爸妈妈读词语，然后在下图中找到与词语相对应的图片吧！

柿子

狮子

裤子

凳子

李子

栗子

兔子

桃子

宝宝说说看

　　小朋友，请你把这个故事转述给爸爸妈妈听。只要你转述了，下面这个漂亮的魔法徽章就奖励给你哦！

醒目小贴士

1. 家长可以让孩子尝试开展自觉自主的学习活动，并适当延长学习时间。

2. 家长应该有意识培养孩子专心并耐心倾听他人讲话的能力。

3. 家长有空时可以跟孩子一起模拟小学上课的情景。

"好香呀！"

冬天的夜里，还有比烤火和吃烤红薯更有趣的事吗？

"噼啪!"一只火红的大怪物从篝火里直蹿到了天上。

"着火了!"

"快逃吧!"

大家赶紧往森林外面跑。

"有烟！快把鼻子捂住。"

"别慌，走大路。"

他们慌慌张张地把这件事
告诉了山羊老师。

"森林里有个红怪物！"

"哈哈！"

"它会飞上天。"

"它还会喷火。"

85

山羊老师带着大家走回森林里。
篝火的旁边多了几个奇怪的红东西。

原来，这些焰火是鼹鼠落下的。

"放在火旁太危险啦!"

"真对不起!"

"会伤到别人的!"

88

月亮婆婆把星星撒满了天空。
焰火再见！

"再见啦！"

"再见！"

阅读心情

亲爱的宝宝，读完这个故事你的心情怎样？请给符合你心情的星星涂上颜色吧！

 宝宝玩玩乐

小朋友，你知道下面哪个是吓坏憨憨熊他们的"怪物"吗？请你把它找出来吧！

宝宝动动脑

　　小朋友，遇到火灾我们应该怎么办？请你看下面的图片，给爸爸妈妈说一下吧！

醒目小贴士

1. 家长要教导孩子各项基本的逃生方法。

2. 家长应该教导孩子不能含着东西睡觉，不要把杂物带到床上玩。

3. 家长应该让孩子记住110、120、119等紧急呼救电话，他这些电话的作用。

91

本书使用说明

① 点击封面上的有声图标 ，进入本书阅读系统。

② 点击扉页上的音量调节键 ，调节音量大小。

③ 点击每个故事的全文阅读键 ，开始该故事的全文阅读。

④ 点击每个故事后面的总结键 ，对该故事进行学习总结。

⑤ 点击目录上DIY留声机键的播放键 ，播放与之相对应的留声机键的录音内容。

⑥ 内文使用说明：

★ 用易读宝垂直点击或划动点击页面文字或图画 （点击后要将笔提起），易读宝就会发出相应的声音了。

★ **标题**：点击标题，易读宝阅读当前标题。

★ **正文**：点击正文，易读宝开始阅读当前页的内容。

★ **插图**：点击插图，精彩的情景对话就开始了。

★ **游戏**：点击不同等级的游戏键 ，进入游戏模式。

★ **停止**：点击停止键 ，停止当前阅读或从游戏模式返回到阅读模式。

★ **DIY留声机键** ：

首先，用易读宝点击录音键 ，提示开始录音。

然后，点击OK键 开始录音，录音完毕再次点击OK键 完成录音。

最后，用易读宝点击播放键 ，播放录音文件；再次点击播放键 ，暂停播放。

注意：每个DIY留声机键下方的编码，例如 REC001 ，该编码与易读宝内生成的录音文件名是一致的，可复制到电脑中保存。更多信息和使用方法请浏览易读宝官方网站：www.yidubao.com。